Tía Roberta necesita anteojos

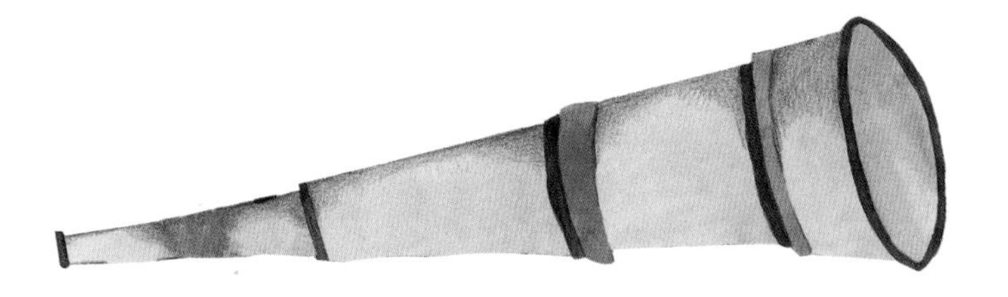

Producido por **Lúdico Ediciones**
Texto **Javiera Gutiérrez**
Diseño y diagramación **Florencia Sztrum**
Ilustraciones **Adriana Keselman**
Lúdico Ediciones
info@ludicoediciones.com.ar
www.ludicoediciones.com.ar

Tía Roberta necesita anteojos
1ra. edición, 3000 ejemplares
Buenos Aires, marzo 2011
ISBN: 978-987-25661-5-9

Impreso en Argentina

Gutiérrez, Javiera
Tia Roberta necesita anteojos / Javiera Gutiérrez ; ilustrado por Adriana Keselman. - 1a ed. - Buenos Aires : Lúdico Ediciones, 2011.
32 p. ; 20x20 cm.

ISBN 978-987-25661-5-9

1. Material auxiliar para la Enseñanza. I. Keselman, Adriana, ilus. II. Título
CDD 371.33

TÍA ROBERTA NECESITA ANTEOJOS

Javiera Gutiérrez

Ilustraciones: Adriana Keselman

RODETE HASTA EL TECHO,
BUFANDA, TAPADO.
LA TÍA ROBERTA
ME APRIETA LA MANO.

VAMOS A IR AL CINE
Y A TOMAR EL TÉ.
SALIMOS TEMPRANO,
ANTES DE COMER.

—¿AHÍ VIENEN LOS MICROS?
PREGUNTA ROBERTA.
MIRA AL HORIZONTE,
LA CALLE DESIERTA.

¿EL 4 O EL 9?
¿LA ERRE O LA PE?
NO SABE ROBERTA,
CREO QUE NO VE.

LE TIRO DEL SACO,
LE PIDO COMIDA;
CAMINA APURADA
DE A RATOS, SUSPIRA.

—¡POR FIN, ACÁ ESTAMOS!
ME DICE OFENDIDA
FRENTE A LA VIDRIERA
DE UNA MERCERÍA.

—ACÁ NO HAY BUDINES,
ACÁ NO HAY GALLETAS.
LE GRITO Y NO IMPORTA,
NO ESCUCHA ROBERTA.

ASÍ QUE ELLA ENTRA,
A COMPRAR MANZANAS.
TERMINA COMPRANDO
OVILLOS DE LANA.

LLEGAMOS MUY TARDE
PARA LA FUNCIÓN:
CONFUNDIÓ LA HORA
CUANDO LA LEYÓ.

S
HOY

DESPUÉS DE TANTOS ERRORES,
DE TANTA EQUIVOCACIÓN,
UN DÍA EN MI CUARTO
PENSÉ UNA SOLUCIÓN.

SHH

PAQUETE CON MOÑO
LE LLEGA A SU CASA.
LA TÍA LO ABRE,
LO PESA, LO ABRAZA.

AL RATO APAREZCO,
ME PONGO DELANTE.
DESPLIEGO UN CARTEL
CON ESTE MENSAJE:

PARA VER EL SUELO
Y EL CIELO A LA VEZ
HAY QUE TENER OJOS
TAMBIÉN EN LOS PIES.

PREGUNTO: —¿QUÉ DICE?
LA TÍA SE ESTIRA,
ENTORNA LOS OJOS.
METE LA BARRIGA.

UN RATO MÁS TARDE
LEE DE UNA VEZ:
—LOS GATOS RAYADOS
DUERMEN AL REVÉS.

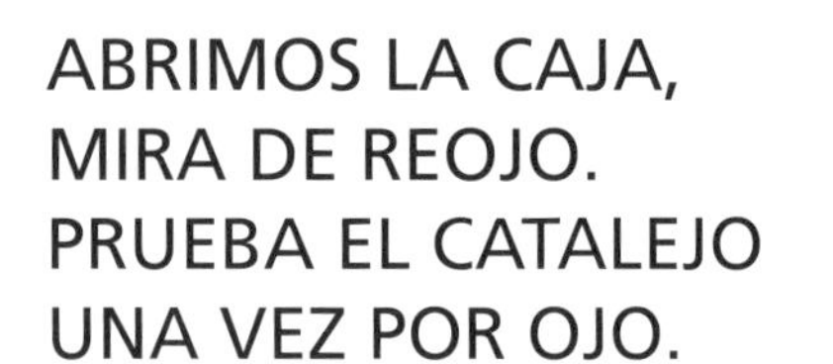

ABRIMOS LA CAJA,
MIRA DE REOJO.
PRUEBA EL CATALEJO
UNA VEZ POR OJO.

DE PRONTO COMPRENDE
LO QUE YO SABÍA:
NECESITA ANTEOJOS
DE NOCHE Y DE DÍA.

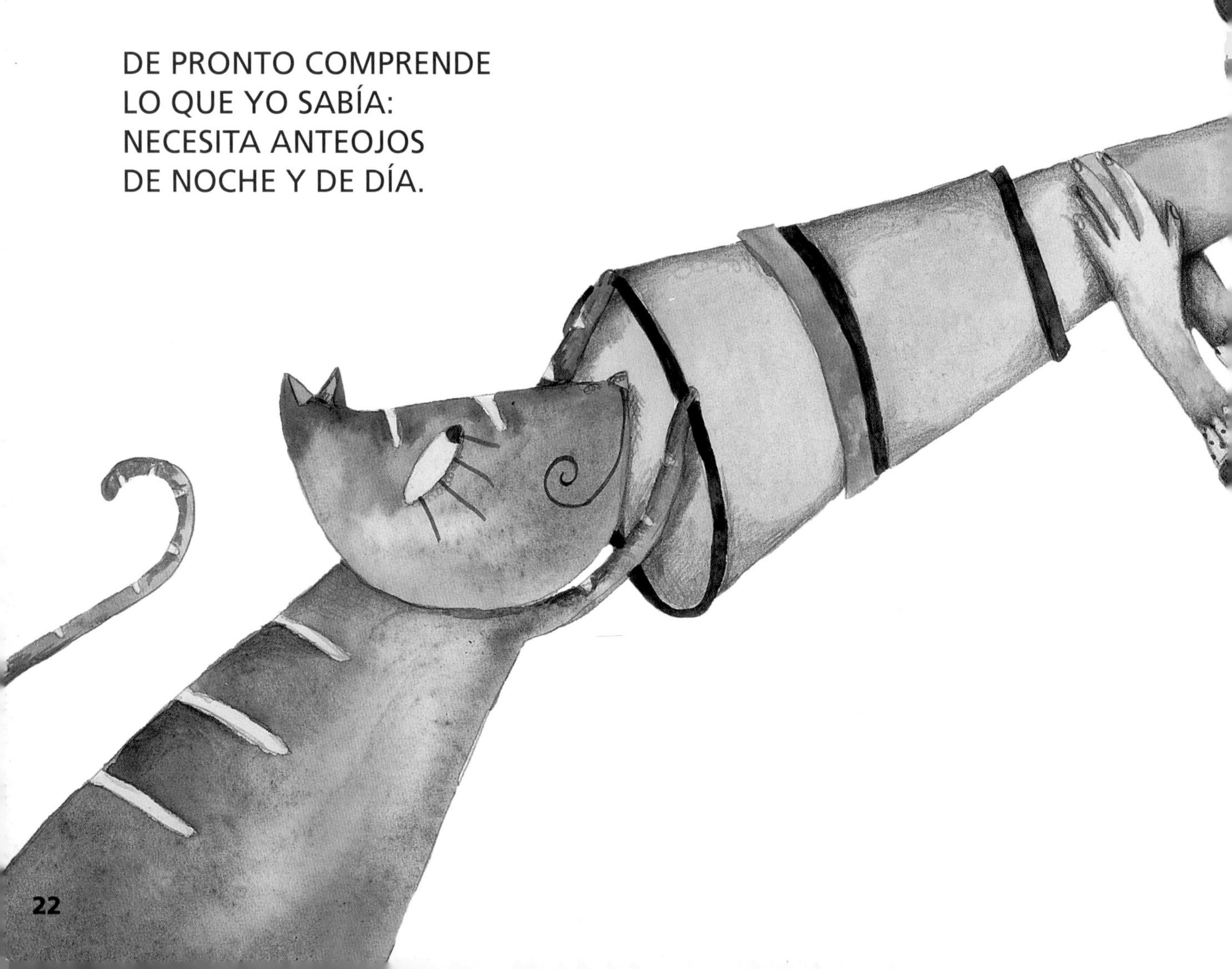

EN EL OCULISTA
LE DAN LA RECETA.
ELLA ELIGE MARCOS
BRILLANTES, VIOLETAS.

DISFRUTA ROBERTA,
NOTA LOS DETALLES.
VUELVE A ORDENAR TODO
COMO HACÍA ANTES.

DA VUELTA LA CASA
ARREGLA CAJONES.
ENCUENTRA MONEDAS,
PIEDRAS DE COLORES.

SUBE SUS ANTEOJOS
SOBRE LA NARIZ,
ME MANDA A LAVARME
CON JABÓN DE ANÍS.

Y AHORA QUE DISTINGUE,
QUE TODO LO VE,
LOS DÍAS DE LLUVIA
ME ENSEÑA A LEER.

Busca y encuentra

Página 5
Una hebilla dorada.

Página 6
Una bolsa con pan.

Página 6
Un charco de agua.

Página 9
Tres ovillos rojos.

Página 10
Un vaso de gaseosa.

Página 11
Un candado.

Página 12
Un par de bigotes.

Página 15
Dos huesos cruzados.

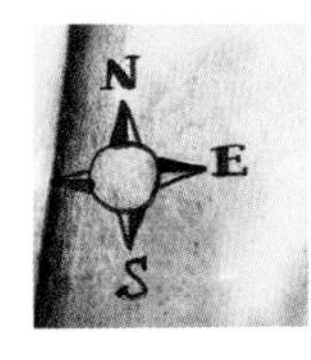

Página 18
La letra E.

Página 23
Un ojo cerrado.

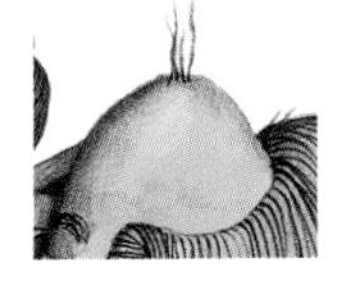

Página 24
Tres pelos parados.

Página 25
Un botón azul.

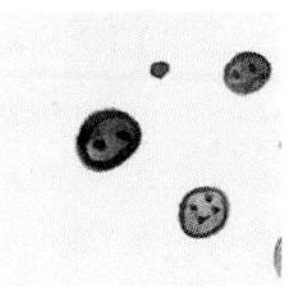

Página 26
Hocico de gato.

Página 28
Dos margaritas.

Este libro se terminó de imprimir en Gráfica Pinter,
Ciudad Autónoma de Buenos Aires, en el mes de marzo de 2011.